Solène Bourque

Fábulas para los pequeños y grandes desafíos de la vida

Comprender y ayudar a los niños en la resolución de problemas

EDICIONES OBELISCO

Si este libro le ha interesado y desea que le mantengamos informado de
nuestras publicaciones, escríbanos indicándonos qué temas son de su interés
(Astrología, Autoayuda, Ciencias Ocultas, Artes Marciales, Naturismo,
Espiritualidad, Tradición…) y gustosamente le complaceremos.

Puede consultar nuestro catálogo en www.edicionesobelisco.com

Colección Psicología
FÁBULAS PARA LOS PEQUEÑOS Y GRANDES DESAFÍOS DE LA VIDA
Solène Bourque

1.ª edición: noviembre de 2013

Título original: *Allégories pour les petits et grands défis de la vie*

Traducción: *Pilar Guerrero*
Maquetación: *Montse Martín*
Corrección: *M.ª Ángeles Olivera*
Diseño de cubierta: *Marta Rovira sobre una ilustración de Nadia Berghella*

© Éditions de Mortagne
(Reservados todos los derechos)
© 2013, Ediciones Obelisco, S. L.
(Reservados los derechos para la presente edición)

Edita: Ediciones Obelisco S. L.
Pere IV, 78 (Edif. Pedro IV) 3.ª planta 5.ª puerta
08005 Barcelona - España
Tel. 93 309 85 25 - Fax 93 309 85 23
E-mail: info@edicionesobelisco.com

Paracas, 59 C1275AFA Buenos Aires - Argentina
Tel. (541-14) 305 06 33 - Fax: (541-14) 304 78 20

ISBN: 978-84-15968-13-9
Depósito Legal: B-24.303-2013

Printed in Spain

Impreso en España en los talleres gráficos de Romanyà/Valls S. A.
Verdaguer, 1 - 08786 Capellades (Barcelona)

Para Ariane y Thomas,
que me permiten ver la vida con otros ojos
a través de sus miradas de niños.

Agradecimientos

Para empezar, tengo que dar las gracias a mis hijos, Ariane y Thomas, por su colaboración en este libro. Sus vivencias son para mí una fuente de inspiración, y sus críticas espontáneas y honestas me empujan a llegar más lejos. Más aún, sus ideas han sido la semilla para algunas historias de este libro.

Un agradecimiento particular a mi pareja, Yvan, que cada día vive esta pasión y esta intensidad que siento cuando me lanzo a proyectos de escritura. ¡Gracias por todo!

También doy las gracias a mis padres, Alexina y André, que siempre han creído en mí y que me han animado en esta pasión por escribir que tengo desde… ¡siempre!

«Los niños, solitos, saben lo que quieren…».

El Principito
(Antoine de Saint-Exupéry)

Gracias a Nadine Descheneaux —una autora a la que admiro mucho y una amiga especial— por el tiempo que ha perdido leyendo y comentando esta recopilación. Un agradecimiento especial a sus hijos, Adèle y Hubert, que también han «comprobado» estas alegorías. Su mirada infantil me ha ayudado mucho a hacerlas más atractivas para los niños.

Finalmente, gracias a todos los niños y niñas que me han inspirado para escribir estas historias, y en particular a Jeanne, Estelle, Léo, Camille, Vincent, Simon y Philippe. Hay retazos de vosotros en cada personaje de estos cuentos…

Introducción

Los niños adoran que les narren cuentos. Gracias a ellos, se evaden a un mundo imaginario en el que todo es posible, convencidos de que todo acabará bien. Encuentran personajes buenos y otros antipáticos, con los que pueden identificarse y a través de los cuales pueden aprender, poco a poco, las nociones del bien y del mal. El psicoanalista Bruno Bettelheim[1] afirma, por su parte, que los cuentos tradicionales tienen un papel particularmente importante en el desarrollo psicológico de los pequeños. Gracias a los personajes imaginarios, con los que se identifican, los niños y las niñas aprenden a resolver conflictos interiores y a superar sus angustias inconscientes.

Como el cuento tradicional, la alegoría tiene un importante papel en el desarrollo infantil, de manera muy notable. Y esto se debe a que está construida con objetivos precisos, para ayudar. La alegoría podría definirse, pues, como la personificación de una idea abstracta (la ira puede representarse mediante un nubarrón gris, por ejemplo) con el fin de que el niño pueda, de manera inconsciente, trasmitir sus emociones y encontrar solución a situaciones difíciles.

Las siguientes alegorías se han redactado con palabras sencillas, y versan sobre cuestiones que afectan a la realidad cotidiana de los niños y niñas. Pueden utilizarse con pequeños de todas las edades, desde el momento en que sienten interés por los cuentos. Así, Penélope, la plumita, puede ayudar a que se calme un niño intranquilo;

---

1. Bruno Bettelheim, *Psychanalyse des contes de fées*, Hachette Littératures, 1976.

Nana, la nubecita, ayudará al niño a controlar su mal genio; Rino, el riachuelo, le enseñará a tener confianza en sí mismo, etcétera. En resumen, por medio de los cuentos, los niños se identifican con los personajes que les animan y los guían hacia soluciones, cuando se ven enfrentados a dificultades en la vida.

Comprensión y empleo de la alegoría

La alegoría es una historia inventada y construida con todas las piezas necesarias para ayudar al inconsciente del niño –o del adulto– a abrirse a una serie de mensajes, de ideas, que lo guíen hacia la consecución de soluciones prácticas frente a un desafío o una dificultad vital que encuentren en su camino. Los mensajes que contiene están representados en el cuento a través de diferentes elementos:

Personajes no humanos: Casi todas las alegorías se construyen alrededor de personajes no humanos (animales, flores, elementos de la naturaleza, etcétera). Esta característica permite al inconsciente del niño identificarse con más facilidad, porque se centra en los rasgos de la personalidad y las emociones del personaje más que en su aspecto físico.

Indicaciones sensoriales: Siempre se intenta describir detalladamente todo tipo de sonidos, olores, colores y sensaciones diversas con el fin de que el pequeño se impregne al máximo de la historia, para que la sienta y la viva al mismo ritmo que el personaje del cuento.

Etapas de construcción de la alegoría: La alegoría, por lo general, se divide en diversas etapas[2] que ayudan poco a poco al niño a identificarse con un personaje, a tomar conciencia de la situación que éste vive y a comprender mejor sus emociones para buscar una solución.

---

2. Michel Dufour; Dany Tremblay, *Allégories – Amour de soi, amour de l'autre*, Montreal, Ediciones JCL, 2006, págs. 51-57.

Las pistas para reflexionar que se ofrecen suelen presentarse mediante un personaje particularmente sabio o un ser mágico. Es una invitación a que el niño busque en su interior los recursos necesarios. Éstas son las cinco etapas de la construcción de una alegoría:

- *El estado inicial o puesta en situación:*
  Se presenta el personaje principal en su contexto vital (dónde vive, cómo es su familia, qué le gusta, qué le interesa). Esto ayuda al niño a conocerlo e identificarse con él.

- *La perturbación:*
  Es el momento en que el personaje principal se enfrenta a una prueba. De manera inconsciente, el niño se identifica con él: va comprendiendo, poco a poco, que no es el único en el mundo que vive situaciones complicadas.

- *El desequilibrio y el deterioro:*
  Cuando la situación se vuelve problemática para el personaje, las emociones sentidas se convierten en protagonistas. El personaje se siente impotente frente a una situación concreta, igual que el niño al que queremos ayudar.

- *Desenlace feliz:*
  La solución que se ha encontrado para salir de una situación difícil funciona. El problema ya está resuelto. ¡Bien está lo que bien acaba!

- *Estrategia de solución:*
  Al personaje principal se le plantean diversas soluciones de la mano de un sabio o de alguien mágico. El niño que escucha la historia entiende que siempre hay una salida para todo.

Uso del recopilatorio

Utilizar este compendio de alegorías es muy sencillo. Escoge el cuento correspondiente a la dificultad actual. Léeselo al niño sin decirle que se trata de una historia que le va a ayudar. De hecho, se trata de un trabajo inconsciente que se desarrolla a través de los diferentes elementos de la historia. Si en algún momento el niño te pregunta por qué le ha pasado tal cosa al protagonista o te pide detalles de cualquier tipo, pregúntale: «¿A ti qué te parece?». El niño encontrará una respuesta en su interior y, de paso, te ayudará a saber qué percepción tiene de la situación planteada.

Si el niño domina bien el lenguaje, haz alguna pausa durante la lectura de la alegoría, justo en el momento en que la situación parezca no tener salida alguna para el protagonista. Aprovecha para preguntarle si se le ocurre qué puede hacer el personaje principal. ¿Tiene alguna solución en su mente? Valora siempre sus propuestas como interesantes («¡Es una idea genial! ¡Creo que al león Lucas le gustaría ponerla en práctica!»); pregúntale también por soluciones inviables («¿Pero tú crees que eso sería posible?»). De este modo aprenderá a buscar sus propios recursos en caso de vivir una dificultad parecida. Cada uno de los cuentos contiene unas cuantas preguntas y reflexiones que se le pueden proponer al pequeño. Éstas te darán ideas para profundizar en la historia junto con el niño.

Puedes volver a releer la misma historia tantas veces como el niño te lo pida. Cada vez que lo hagas, extraerá más elementos diferentes con el paso del tiempo que le servirán para enriquecer sus recursos internos. Si la pide varias veces es porque su cabeza no ha captado del todo todos los matices y necesita más reflexión. Dale tiempo… Poco a poco será capaz de nombrar, espontáneamente, sus propios sentimientos en relación a las dificultades con las que se encuentre, igual que el protagonista de la historia.

Como padres

Si tu hijo o hija vive un momento de dificultad, puedes inventarte una alegoría que se relacione con su situación, usando marionetas pequeñas (las hay de todos los colores, incluso las que se introducen en un dedo). Monta una obra de teatro con tu hijo para convertir el cuento en un juego interactivo. Así, si tu pequeño tiene problemas por no quererse separar de ti ni un rato, el osito le contará que él pasó un dulce invierno durmiendo pegado a su mamá y que, cuando llegó la primavera, le costó mucho pasear por el bosque sin estar encima de ella. Pregúntale al niño qué le diría al osito para consolarlo… ¡Te sorprenderá escuchar las soluciones que plantea!

Si tu hijo es más mayor, puedes construir la alegoría con él, de manera que comparta la situación que él mismo está viviendo. Pon en escena a un personaje imaginario que tenga el mismo problema que el niño. Luego, poned palabras a las emociones del personaje en dicha situación. Finalmente, guía al niño para que encuentre soluciones y supere las dificultades. Juntos podéis hacer un libro de alegorías en las que el niño escriba las historias y, si no tiene edad de escribir, lo hagas tú mismo. Luego ilustrará cada historia con sus dibujos. ¡No dudes que te pedirá el librito para leer sus historias muchísimas veces!

Como educador o maestro

Si trabajas con niños, puedes usar estas alegorías o crear otras nuevas, según las necesidades o la dinámica de tu grupo de niños. Veamos algunos ejemplos de actividades según la edad y la dinámica de los pequeños:

- *Para ayudar a los niños a vivir mejor la asistencia a la guardería o el parvulario:* al final de la clase, crea un personaje, a partir de una marioneta o similar, que tenga mucho miedo de ir a la guardería o al colegio y que se esconda cada mañana en un cofre gigante. Durante las primeras semanas que asista a la escuela, en el momento de la rabieta, pídele al niño o a la niña que consuele a la marioneta para que salga del cofre y participe en las actividades del grupo. Si oyen a otros niños hablar, los alumnos con dificultades encontrarán pistas para enfrentarse a sus propias angustias.

- *Para controlar una situación de conflicto en el aula:* propón a los niños que construyan un cuento. El inicio de una alegoría se deja en manos de los niños (con algunas frases para contextualizar, como «Los animales del bosque tenían problemas para jugar todos sin pelearse») para que los niños continúen la frase cada uno, por escrito o verbalmente, según la edad. Cuando leas las diferentes historias inventadas por los niños, comprenderás mejor las percepciones y emociones de cada uno de ellos frente a la situación vivida. Otra actividad posterior en la que se lean y se compartan los cuentos en grupo te ofrecerá la posibilidad de conocer los diferentes puntos de vista sobre el tema y escoger un conjunto de soluciones posibles, o la mejor de todas, según la opinión general del grupo.

- *Para apoyar a un niño con dificultades de adaptación o de aprendizaje:* adapta alguna de las alegorías de este compendio o, si lo prefieres, inventa una para el caso, transformándola en un juego interactivo. Ilustra la situación inicial con una imagen o un pictograma para identificar las diferentes emociones posibles. Al final, haz una serie para ilustrar las distintas estrategias de solución que se pueden aplicar a la situación. Así guiarás al niño en las diversas etapas de la construcción de su alegoría.

Para un niño más mayor, puedes crear un juego social con diversas situaciones pegadas en una cartulina, a las que se pueda llegar –por azar– lanzando un dado. Las cartas de las emociones y de estrategias de solución se ponen en la mesa y el niño elige para cada problema una emoción y una solución para cada una de las situaciones problemáticas en las que se encuentre, a medida que juegue lanzando el dado.

Finalmente, para construir actividades alegóricas de ayuda, basta con estar atento a lo que los niños cuentan sobre lo que están viviendo y dejar volar tu creatividad. ¡Hay que atreverse!

Alegoría de Ariane

En un valle vivía un arbolito precioso que se llamaba Camilo. Siempre había visto a los pájaros volando por el cielo y él mismo soñaba con poder volar.

Un día, Camilo ya era lo bastante grande como para que un pajarito hiciera su nido en una de sus ramas en primavera.

¡Qué feliz estaba el arbolito! ¿Querría el pájaro enseñarle a volar?

Camilo esperó a que el pajarito acabara de construir su nido y se instalara cómodamente. Entonces le dijo:

—¡Si supieras cómo me gustaría volar como tú por todas partes! ¿Podrías enseñarme a volar?

El pájaro le dijo:

—¡Pero si tú no puedes volar! ¡Eres un árbol! Los árboles tenéis raíces enterradas en el suelo que os mantienen firmes y quietos.

Camilo se puso a llorar. Su sueño de toda la vida era volar

Éste es el resultado de una actividad alegórica que hice con mi hija Ariane cuando tenía 6 años. Entonces se sentía frustrada por no poder hacer todo lo que quería dada su corta edad, sus limitadas capacidades y su propio talento. Trabajamos con un personaje que soñaba con hacer una cosa de la que era incapaz. Toda la historia fue producto de la imaginación de la niña; yo tan sólo me limité a guiarla a través de las diferentes etapas de construcción de la alegoría y a ayudarla en la composición de las frases.

y ahora resulta que le decían que nunca podría hacerlo. ¡Qué triste estaba el arbolito!

Pero el pajarito le dijo que no tenía que estar triste porque era un árbol fuerte y sólido y que gracias a los árboles, los pájaros pueden hacer sus nidos.

Al saber para qué servía, el arbolito fue de nuevo feliz.

Situaciones familiares

La llegada de un nuevo bebé a la familia
Ovidio: ¿un huevo en mi nido?

Ovidio siempre había vivido solo en el nido con su papá y su mamá, hasta que, de repente, apareció un huevo a su lado. La mamá pájaro le había explicado que en ese huevo había un Bebé-Pajarito y que muy pronto saldría del huevo enseñando el pico, y así Ovidio tendría un hermanito.

La mamá le explicó que el huevo era muy frágil y que había que cuidarlo mucho. Ovidio tenía mucha curiosidad y quería ver cómo sería el minúsculo Bebé-Pajarito, pero también creía que ese huevo ocupaba demasiado espacio en el nido y que le molestaba. A veces empujaba el huevo. ¡Incluso soñaba que el huevo se caía del nido y se estrellaba contra el suelo! ¡Ups!

Antes de que ese huevo apareciera en el nido, al pequeño Ovidio le gustaba mucho cantar. A mamá pájaro le encantaba escuchar a su hijo. Pero desde que llegó el huevo, la mamá le pedía silencio para que el huevo estuviera tranquilo, y luego se sentaba encima para incubarlo. ¡Mamá se pasaba el día encima del huevo! ¡Eso no podía ser de ningún modo! Definitivamente, ya no era divertido estar con mamá pájaro…

Papá pájaro estaba muy ocupado recogiendo ramitas para hacer un nido más grande. Pasaba muy poco tiempo en casa y nunca estaba en su rama del árbol. Cuando llegaba, le decía a Ovidio que estaba muy cansado y que no tenía ganas de jugar. El pequeño Ovidio se sentía muy triste y muy solo en el mundo…

¿Qué le dirías a Ovidio para que no estuviera tan triste?

¿Por qué crees que Ovidio soñaba esas cosas?

Sin embargo, mamá pájaro, mientras incubaba el huevo, pasaba mucho tiempo con Ovidio y le contaba bonitos cuentos. El pequeño Ovidio se acurrucaba a su mamá y deseaba, en secreto, hacerse muy pequeñito. Soñaba con volver a estar dentro de un huevo para que su mamá cuidara de él durante todo el día. Mientras estaba acurrucado a su mamá, el dulce viento primaveral le susurraba al oído que no se preocupara, que todo iría bien cuando el bebé saliera del huevo. ¡Hay que confiar en la vida!

Una mañana, Ovidio se despertó al oír un crujido. Luego se oyó un gritito. Giró la cabeza y vio un pico saliendo del huevo. Mamá y papá también estaban allí, mirando al huevo y al bebé que salía.

¿Sabes cómo se llama la emoción que sentía Ovidio?

Ovidio sentía que su corazón latía muy rápido. Tenía miedo.

—¿Y si mamá y papá me dejan de querer y prefieren al bebé? ¿Y si papá ya no quiere jugar más conmigo? ¿Y si ya no queda sitio para mí en el nido? –se preguntaba–. ¿Y si? ¿Y si? Pero entonces recordó lo que el viento le había dicho y su corazón se tranquilizó…

El minúsculo Bebé-Pájaro salió por fin del huevo. Miró a su mamá, a su papá y luego a Ovidio. Cuando éste miró a su hermanito a los ojos, sintió cómo en su corazón nacía un amor tan grande que se puso a cantar. El bebé también cantó junto a su hermano, y ese canto a dúo fue el más hermoso que se pudo oír en el bosque durante mucho tiempo.

Mamá y Papá pájaro escuchaban el magnífico canto y Ovidio sonrió lleno de felicidad. Por fin había comprendido que su hermanito, el Bebé-Pájaro, lo necesitaba para cantar juntos y aprender de él. Pero, además, Ovidio comprendió que él también necesitaba mucho a su hermanito. Entendió que en el nido había espacio para todos. Y lo más importante: sabía que mamá y papá tenían amor de sobras en sus corazones.

Abandonar un objeto de transición
Carlos y su mantita

Carlos, un gatito encantador, se paseaba por todas partes con su mantita. Ésta era muy suave y estaba llena de ositos de colores estampados por todas partes. Su mamá se la había regalado cuando tenía 1 año y Carlos adoraba ese trozo de tela suave. También quería mucho a su mamá, como es normal, pero a la mantita podía llevarla con él a todas partes. ¡Era genial! Además, tenía el mismo olor que su mamá y así se acordaba siempre de ella, como si estuvieran juntos…

Su mamá le decía a menudo:

—Ahora ya eres grande, Carlos, tendrías que ir pensando en dejar la mantita. Ya no la necesitas.

Pero Carlos se negaba en redondo. Cuando se sentía triste o cuando un amigo no quería jugar con él, se agarraba a su manta y se consolaba. Cuando estaba contento, le gustaba compartir su alegría con la manta. Y al llegar la noche, ¿cómo iba a dormirse sin ella? ¡Imposible!

¿Y tu mantita, qué tiene de especial? ¿Por qué te gusta tanto?

Así, el gatito Carlos seguía paseándose por todas partes, por casa, por el mercado y por la calle, con su manta. Lo cierto es que no era muy práctico andar así. Cuando quería desayunar, la mantita acababa siempre dentro de la taza de leche y se ensuciaba. Entonces había que lavarla y perdía el buen olor que le recordaba a mamá y que tanto gustaba a Carlos. Cuando jugaba en el parque y su amiga Pili le tiraba la pelota, el gatito tenía todas las dificultades del mundo para atrapar el balón con la manta en la mano. Y en el mercado, de compras, la había perdido varias veces. ¡Uf! ¡Menudo drama para encontrarla luego! La verdad es que era muy complicado vivir con la manta a cuestas, por mucho que le gustara a Carlos.

Carlos había empezado a dejar la mantita en su cama para irse a jugar con las manos libres, pero siempre iba a buscarla a la hora de la siesta o para dormir por la noche.

Un día, después de la siesta, mientras su mamá estaba en la salita cosiendo, Carlos comenzó a rebuscar en su armario. Estaba intrigado por una caja grande que había visto unos días antes en el fondo del armario. Le preguntó a su mamá qué era aquella caja grande.

—Son tus recuerdos de cuando eras un bebé. ¿Quieres que los miremos juntos? –preguntó la mamá.

—¡Sí, sí, me gustaría mucho! –contestó Carlos.

El gatito y su mamá pasaron buena parte de la tarde mirando los recuerdos que había en la caja. Descubrió un gorrito diminuto, que le pusieron al nacer, en pleno invierno, para que no tuvie-

¿Qué le propondrías a Carlos para que su vida fuera más fácil sin la mantita?

ra frío. También había un sonajero que Carlos sacudía cuando era un bebé. Y un chupete que había dejado cuando mamá le regaló la mantita, eso lo recordaba Carlos. Finalmente había un papel con la huella de su patita al nacer. Carlos puso su pata encima de la patita de bebé que había en el papel… se dio cuenta de que había pasado algo. Al observar la diferencia de tamaño entre su pata actual y la patita que tenía al nacer, se dio cuenta de hasta qué punto había crecido. ¡Es verdad que ahora era un gato grande, como siempre le decía mamá!

Y tú, ¿en qué notas que te has hecho grande?

Carlos respiró profundamente y dijo:

—Me parece que ya soy lo bastante mayor como para guardar mi manta en la caja de recuerdos.

Y la mamá le contestó:

—Yo también lo creo, Carlos.

Y mientras tanto le daba un besito. Carlos abrazó la manta por última vez, la dobló con cuidado y la puso dentro de la caja.

—¿Podremos ver otro día mi caja de recuerdos de bebé? –preguntó el gatito.

—Claro, dentro de un tiempo volveremos a ver la caja y podrás recordar los buenos momentos que pasaste con tu mantita –dijo la mamá.

Carlos sonrió y salió corriendo para ir a jugar con su amiga Pili. ¡Qué fácil era agarrar la pelota sin la manta en la mano! «Un día seré un campeón con la pelota», pensó Carlos orgulloso.

Facilitar la integración a la guardería o la separación madre-hijo

Olivia descubre la guardería

Olivia es una osita que nació a finales de otoño en un bosque de grandes pinos. En cuanto nació se pegó al cuerpo de su mamá para hibernar durante todo el invierno. Cuando tenía hambre o sed, comía y bebía cuanto quería. Su mamá siempre estaba con ella y le proporcionaba todo lo que necesitaba.

En primavera, un rayo de sol despertó a Olivia y, con una patadita, intentó despertar a su mamá. Mamá osa se despertó y se estiró para desperezarse y luego miró a la osita con una dulce sonrisa.

—Ha llegado el momento de salir de casa y tomar el aire, bonita –le dijo su mamá.

Durante varios meses, Olivia descubrió con mamá osa todos los rincones del bosque de pinos, cuyo olor ya le había llegado a la nariz cuando pasaba el invierno en su casa. La osita brincaba, rodaba por la hojarasca y saboreaba por primera vez frutas jugosas y deliciosas. En resumen: ¡era muy feliz!

Un día, Olivia y su madre pasaron por un claro del bosque en el que muchos ositos jugaban juntos y se divertían. Olivia le preguntó a mamá qué era ese sitio lleno de niños. Su mamá le dijo que era una guardería de ositos y que pronto ella también iría a jugar con sus nuevos amigos, mientras mamá cazaba.

—¿Cómo? –gritó Olivia–. ¿Es que no voy a estar siempre contigo?

—¡Claro que no, osita mía! Te vas haciendo mayor –dijo la mamá–. Mira lo grandes que

A ti, ¿qué te gusta hacer cuando estás a solas con tu mamá?

¿Cómo te sientes tú cuando te dicen que te estás haciendo mayor? ¿Estás contento y orgulloso o preferirías ser siempre un bebé?

se han hecho tus patas. Además, yo tengo que ir a cazar para que podamos comer mucho antes del próximo invierno. Ahora ven conmigo, que vamos a visitar la guardería.

Olivia pasó con su madre por el interior de un gran tronco hueco que servía de entrada a la guardería de ositos. Su corazón latía muy fuerte.

No tenía ganas de estar allí. Olivia quería estar siempre con su mamá. ¡SIEMPRE! Mamá osa guiñó el ojo a su hija y la animó a entrar: primero un pasito, luego otro… Al final, Olivia entró.

Una señora se acercó a presentarse.

—Me llamo Matilde y soy la seño de esta guardería, soy yo quien cuida de todos los ositos del bosque.

A Olivia le pareció que la seño era simpática, pero no tenía la misma sonrisa dulce que mamá osa. Notó que las lágrimas salían de sus ojos… ¿Cómo iba a poder estar un día entero sin mamá? A pesar de todo, había ositos simpáticos en la guardería y Olivia jugó un rato con ellos. Matilde era muy dulce y amable con los ositos. ¿Podría llegar a estar bien con ella?

Y al final llegó el gran día. Olivia tuvo que salir de su casa para ir a la guardería. Su corazón estaba tan vacío como el tronco que servía de puerta. Un pajarito se posó sobre el tronco de la guardería, mientras la pobre Olivia suspiraba.

—Pareces muy triste –le dijo el pajarito.

—Pues sí, hoy empiezo a venir a la guardería de ositos y tengo miedo. Voy a echar de menos a mamá, no podré ver su cara en todo el día.

Y el pajarito le dijo:

—Tengo un secreto y te lo voy a decir, acércate.

Olivia se acercó.

—Tu mamá siempre está contigo, ¿sabes? Está en tu corazón. Cuando no estés con ella, cierra los ojos y verás su cara sonriente como un rayo de sol que te calentará el corazón.

Olivia sonrió…

Agradeció al pajarito el secreto. Ahora sabía cómo llevar a la guardería un trocito de mamá en su interior.

Olivia se fue con mamá osa dando brincos. Tenía prisa por jugar con sus nuevos amigos. Y con una lagrimita en los ojos, pero una sonrisa en la boca, Olivia entró por fin en la guardería. Es verdad que algunos momentos del día eran difíciles. ¿Pero sabes qué hacía Olivia? Pues sí, cerraba los ojitos y veía la dulce sonrisa de su madre que le llenaba el corazón de alegría… así encontraba fuerzas para seguir divirtiéndose con sus amigos.

¿Qué secreto crees que le contará el pajarito a Olivia?

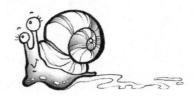

Dormirse mejor

Cloe no quiere dormir

La pequeña lechuza Cloe no quiere dormir. Lo que desea es escuchar todos los ruidos de la noche porque le parecen fascinantes. Y para no perder detalle y estar muy atenta ¡no cierra los ojos en toda la noche! Se inventa todo tipo de historias a partir de los ruiditos que escucha.

—¿Y si es una princesa con su caballero galopando por el bosque? ¿Y si es un barco que parte en busca de aventuras?

Por la noche, a la hora de dormir, su mamá intentaba hacerla entrar en razón:

—Cloe, tienes que dormir. ¡Mañana estarás muy cansada!

—Sí, sí, mamá, me voy a dormir enseguida.

¿Se te ocurre alguna solución para Cloe?

Pero en cuanto su mamá salía de la habitación, Cloe afinaba el oído. ¿Y si se escuchaba algún ruidito raro? ¡Qué excitante!

A veces, la pobre Cloe sentía que se caía de sueño, pero rápidamente se despejaba para no perderse nada de lo que pudiera pasar a su alrededor. Cloe abría bien los ojos y escuchaba con atención, luchando siempre contra el sueño. ¡Dejaba volar su imaginación!

El único problema que tenía –y su mamá tenía razón al recordárselo– era que algunas mañanas no podía ni levantarse y no tenía ni fuerzas ni ganas de ir a jugar con sus amiguitos. Cloe entonces se enfadaba y tenía mal humor. Porque le gustaba lo mismo pasarse las noches despierta para escuchar ruiditos en su nido como jugar de día con sus amigos. ¡Tenía que encontrar una solución!

Esa noche la pequeña lechuza se acostó. Miraba el cielo cuajado de estrellas y, de repente, vio cómo una estrellita se desprendía del cielo y se le caía encima. La estrella le dijo que le traía un mensaje muy especial. Cloe acercó la oreja a la estrellita.

—¿Ves todas esas preciosas estrellitas del cielo? –preguntó la estrella.

—Pues debes saber que para que puedan brillar tanto durante las noches, tienen que reposar y dormir mucho de día. Es el descanso lo que les permite brillar con la más hermosa de las luces cuando se pone el sol.

Esa noche, los ojos de Cloe se cerraron y se durmió pronto. Cuando se despertó por la mañana ¡se sentía llena de energía! Ese día se lo pasó bomba con sus amiguitos, jugando todo lo que quiso sin cansarse. Se le ocurrieron un montón de ideas para inventar nuevos juegos y, además, fue capaz de volar solita de rama en rama sin ninguna dificultad.

Entonces Cloe comprendió que la estrellita tenía razón. Para pasar bonitos días llenos de energía y estar en forma hay que dormir bien. Ahora, cuando llega la noche y no tiene ganas de cerrar los ojos, piensa en su amiga la estrella y en el secreto que le contó. ¡Así se duerme deprisa!

¿Por qué crees que Cloe se siente ahora tan bien y se divierte tanto?

Aprender a compartir

A Sofía no le gusta compartir

En la casita bajo tierra en la que vive con su familia, la ratita Sofía tiene todo lo necesario para ser feliz. Sin embargo, no lo es. Y es que Sofía tiene cuatro hermanos y cuatro hermanas con los que tiene que compartir TODO. Su camita, sus juguetes, e ¡incluso sus quesitos! Precisamente lo que menos le gusta a Sofía en este mundo es COMPARTIR.

Se había atrevido a pedirle algunas cosas a Mamá-rata, pero ésta se reía y le contestaba:

—¡Eso no puede ser, Sofía! ¿Qué pasaría si todos tus hermanos y hermanas pidieran también una habitación para ellos solos? ¡Imagina que todos quisieran juguetes propios! No tenemos una casa tan gran-

¿Cómo crees que reaccionará Sofía ante la respuesta de Mamá-rata?

de y las comidas las hacemos en familia, todos juntos, como debe ser. Estar en familia es muy importante y deberías saberlo.

A la hora de cenar, sus hermanos y hermanas reían felices y se lo pasaban bien, pero Sofía no tenía ganas de reír y no se lo pasaba nada bien. A la hora de dormir, cuando apenas encontraba un sitio pequeño en la cama que compartía con una de sus hermanas, Sofía se prometió a sí misma que se iría a un lugar donde nunca tuviera que compartir nada con nadie.

Esa noche, un elfo del bosque despertó a Sofía y le dijo que su deseo se había cumplido. La invitó a que se fuera con él a un lugar donde nunca tendría que compartir nada con nadie ¡JAMÁS! Un sitio donde tendría su propia cama y un queso enorme sólo para ella. ¡Sofía no podía creerse tanta fortuna! Bien agarrada al elfo, recorrió campos y se adentró en un bosque.

El elfo la dejó al pie de un árbol y le dijo:

—Si necesitas cualquier cosa, silva y vendré enseguida.

Sofía pensó «yo no necesito a nadie» mientras entraba en el tronco del árbol y veía una gran y preciosa cama. También vio un cofre grande lleno de juguetes y un queso enorme, todo entero para ella solita.

Sofía mordió el queso y se comió un trozo, pero no le pareció tan rico como el que se comía en su casa. Jugó un rato con sus nuevos juguetes sólo para ella, pero se aburría sin tener a nadie con quien jugar. Cuando le entró sueño se acostó en su nueva cama, tan bonita... Pero al cabo de un rato se sintió incómoda porque le faltaba sentir el suave aliento de su hermana en el cuello y sus piececitos pegados a ella.

¿Cómo crees que se siente Sofía sola en su nueva casa?

Sofía silbó para que su amigo elfo fuera a verla y le dijo que prefería volver a su casa con su familia. Eso era lo que más quería en el mundo, volver a casa.

—¿Estás segura, Sofía? –preguntó el elfo–. ¿Es ése tu mayor deseo en este momento?

Y ella asintió con la cabeza diciendo:

—Sí ¡quiero estar otra vez en mi casa!

La verdad es que su casa siempre está llena de ruidos, pero también está repleta de amor. Todo el mundo reparte afecto en casa de Sofía.

Ya en su cama, Sofía se acurrucó a su hermanita imaginando todos los juegos que se inventarían a la mañana siguiente. ¡Sí, ahora Sofía comprende que compartir significa no estar nunca solo para divertirse, reír y bailar!

Aceptar ser hijo único
Bea quiere una hermanita

Bea era una bonita ballena azul que desde que nació vivía en la desembocadura al mar de un enorme río. Había más familias de ballenas cerca de su casa y casi siempre alguna de ellas tenía un bebé entre sus miembros. Bea adoraba ver bebés ballena jugando en el agua. A ella le hubiera gustado tanto tener una hermanita… Incluso hubiera aceptado tener un hermano, como Juan, el hermanito de su amiga Aurelia. ¡Habría sido muy feliz con un bebé en casa!

Pero sus padres sólo habían querido tenerla a ella y eso la apenaba. A menudo le pedía a Mamá-ballena que tuviera un bebé en la tripa para aumentar así la familia. Pero la mamá siempre contestaba:

—Eso no va a pasar, mi amor. Tú serás hija única. Cada familia tiene sus ventajas ¿sabes? Hay muchas cosas buenas cuando se tienen hermanos, pero también hay muchas cosas estupendas cuando no se tienen y se es hija única como tú. Lo que debe importarte es que somos una familia muy feliz.

Bea valoraba mucho tener una familia feliz, pero eso no le bastaba, porque continuaba queriendo una hermanita y sentía que el corazón se le encogía cada vez que veía a sus amigos con sus hermanos y hermanas pequeños.

¿Cómo iba a aceptar que siempre estaría sola? Bea no sabía cómo hacerlo y hubiese querido una solución mágica para olvidar su pena.

¿Qué sentimientos vive Bea? ¿Qué le dirías para consolarla?

Esa noche tuvo un sueño extraño. Soñó que vivía en casa de su amiga Aurelia y que Juan era, en realidad, su hermanito pequeño, con el cual compartía habitación y se pasaban el día jugando. En cambio, Aurelia vivía en casa de Bea. En ese sueño, mientras jugaban, Aurelia le contaba lo mucho que le gustaba su nueva vida.

—Estoy tan contenta de estar por fin sola… La casa siempre está en calma, tengo todo el tiempo para mis cosas, para imaginar, para escribir y hacer dibujos de todas las cosas bonitas que se me pasan por la cabeza. Papá y mamá están siempre pendientes de mí y puedo contarles todo lo que quiero sin que un hermano pequeño me interrumpa.

Luego añadió que le encantaba tener una habitación para ella sola, decorada a su gusto y sin tener que dejar a su hermano.

—¡Es fabuloso! –dijo Aurelia.

Por la mañana, Bea se despertó sonriendo. Cuando se encontró con Aurelia le explicó su sueño. Aurelia se puso a reír.

—Sí, es verdad que a veces te envidio, aunque me encanta mi vida y quiero mucho a mi hermanito. Tú puedes invitar a tus amigas a casa siempre que quieras. No estás obligada a entretener a tu hermano ni a dejarle tus juguetes ni a enfadarte cuando te persigue por todas partes. Cuando te apetece, estás sola. La verdad es que tienes mucha suerte, Bea, aunque no tengas una hermanita pequeña ¿lo sabes?

Aurelia tenía razón, tanto en el sueño como en la realidad. Bea no tenía hermanos pero tenía una vida muy bonita ¡igual que los demás niños!

¿Cuáles son las ventajas de no tener hermanos?

Comer bien y de todo

Leo no quiere comer

Justo al lado de la madriguera donde vive Leo, el conejito, con su familia, había un huerto enorme donde Papá-conejo ayudaba a cultivar verduras. Todas las noches, al volver del trabajo, papá-conejo volvía a casa con las manos llenas de verduras de todo tipo: lechugas frescas, pepinos suculentos, judías crujientes, coliflores redonditas y deliciosas zanahorias que todos los conejos del mundo adoran, todos lo sabemos.

¿Todos los conejos? Hum… no. Porque desde hacía algunas semanas, Leo no quería comer nada que viniera del huerto, ni siquiera las deliciosas zanahorias. Lo cierto es que solamente quería comer macarrones y galletas. Sus hermanos y hermanas comían verdura. Leo no.

—¡Puaj! Yo no quiero eso ¡qué asco! –repetía cada día.

Su mamá le repetía que tenía que alimentarse bien para crecer sano, pero Leo no le hacía caso y se negaba a comer verdura.

—Leo, los macarrones y las galletas están bien, pero hay que comer de todo para tener buena salud.

Y como Mamá-coneja no guisaba macarrones ni galletas todos los días, Leo sólo comía cuando había esos platos.

Una mañana, Leo se levantó de la cama con mucha dificultad. Estaba cansado y parecía no tener energía.

Mientras que sus hermanos y hermanas brincaban por el bosque y correteaban por todas partes, Leo se quedaba sentadito y quieto cerca del huerto.

¿Qué le dirías a Leo para que comiera todo lo que le ponen sus papás?

—¿Qué te pasa, Leo? ¿No quieres jugar? –le preguntó la hormiga Mimí, que pasaba por su lado.

—No, estoy muy cansado –respondió Leo.

Mimí le preguntó si había desayunado bien por la mañana.

—No, no he comido porque había verdura y yo quiero desayunar galletas; ayer me pasó lo mismo y así cada día. ¡Siempre me ponen verdura, verdura y más verdura! –replicó el conejito.

¿Por qué crees que Leo no tiene energía?

—¡Pero Leo! ¡Tienes que comer de todo, todo lo que tienes en el plato! Es muy importante –exclamó la hormiguita.

—Mira toda la comida que llevo encima para llevarla al hormiguero. ¿Crees que tendría tanta fuerza si no comiera bien con alimentos variados? Las verduras son buenísimas ¿has intentado probarlas? –le dijo Mimí.

Leo refunfuñó. La verdad es que nunca había querido probar las comidas de Mamá-coneja, particularmente cuan-

¿Por qué es tan importante alimentarse bien?

do eran a base de verduras. Pero Leo quería estar fuerte y sano para poder ayudar a Papá-conejo en el huerto cuando fuera mayor.

Durante la cena de esa noche, cuando Mamá-coneja sirvió los platos, Leo recordó lo que Mimí le había explicado y le dio un mordisco a la lechuga.

—¡Ñam! Pues es verdad que está buena –pensó.

Luego probó las judías y las zanahorias y, mientras charlaba con su familia, se acabó el plato entero con una sonrisa. A partir de ese día, Leo, que quería crecer sano y fuerte, como le decía su amiga Mimí, empezó a comer de todo: rábanos, apio, kiwis, perejil, coliflor y, naturalmente... ¡espaguetis y galletas, cuando tocaban!

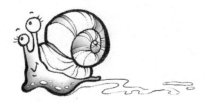

Superar la rivalidad entre hermanos

Eduardo y Emilio: ¡menuda injusticia!

Eduardo y Emilio eran dos hermanos ardilla que vivían con su mamá en el fondo de un tronco hueco, al borde de un bosque. La suya era una casa llena de amor, bien abastecida de avellanas, pero Eduardo y Emilio tenían la impresión de que la vida era muy injusta con ellos.

Por la mañana, Eduardo solía exclamar:

—¡Mamá! Emilio tiene más avellanas que yo en su cuenco. ¡Es injusto!

Al mediodía era Emilio el disgustado:

—¡Mamá, tú juegas mucho más con Eduardo que conmigo! ¡Es injusto!

Y por la noche, antes de irse a la cama, otra vez la misma canción:

—Me tocaba a mí escoger el cuento –decía Eduardo.

—¡No! Ayer lo escogiste tú! –respondía Emilio.

—¡Que no! ¡No y no! ¡Mamáááá, es injusto, Emilio siempre quiere escoger él! –decía Eduardo.

En resumen, nunca estaban contentos, y Mamá-ardilla no sabía qué hacer para que los hermanos comprendieran que ella los quería a los dos por igual y que no podía pasarse el día contando avellanas una por una para que ambos tuvieran exactamente las mismas, ni controlando el tiempo que dedicaba a cada uno, ni dejando que uno y otro escogieran cuentos.

Un día, Mamá-ardilla tuvo una idea. Organizó un juego de «búsqueda del tesoro» para sus dos ardillitas.

> ¿Qué les dirías a Eduardo y Emilio para que fueran mejores hermanos?

¡Eduardo y Emilio estaban muy excitados! Eduardo decía:

—Seguro que yo encuentro el tesoro primero y entonces me lo quedaré todo para mí.

Y Emilio contestaba:

—¡Mamá, es injusto! Eduardo es más mayor y seguro que me lo quita.

Mamá-ardilla explicó a cada uno de ellos que ninguno podría encontrar el tesoro antes que el otro porque, para ello, tenían que cooperar y se necesitarían el uno al otro.

¿También tú sientes que tu hermano o hermana tienen privilegios?

—¿Cómo es eso? –preguntaron a coro los hermanos.

—He escondido avellanas por todas partes en el bosque, con mensajes secretos que os llevarán hasta el tesoro. Algunas avellanas llevan el nombre de Eduardo y otras el de Emilio. Así que ninguno de los dos podrá encontrar el tesoro sin la ayuda del otro porque necesitaréis todas las avellanas para conseguir descifrar el código secreto que os conducirá a él.

¡Uf! ¡Menuda aventura para los dos hermanos! Como lo que más querían en ese momento era encontrar el tesoro, se dieron la mano y se adentraron en el bosque a la aventura.

Eduardo y Emilio encontraron todas las avellanas. Para ello necesitaron mucha perseverancia y ayuda mutua. Se precisaban el uno al otro para conseguirlo. Tuvieron que trabajar duro y en equipo para descifrar el código secreto. Tras varias horas, por fin encontraron el cofre del tesoro. ¡Estaba justo debajo del árbol hueco en el que vivían!

¿Crees que Mamá-ardilla es injusta con sus hijos?

Sobre el cofre se podía leer: «Éste es vuestro tesoro. En el interior de este cofre descubriréis el secreto del amor de mamá hacia vosotros». Eduardo y Emilio abrieron el cofre con prisas y mucha curiosidad, para descubrir, en el fondo, un enorme espejo en forma de corazón. Al acercarse el uno al otro para poder ver el tesoro, vieron sus dos cabecitas juntas reflejadas en el corazón del espejo.

—Mis queridos niños –dijo la mamá acercándose–, hay sitio suficiente para los dos en mi corazón. Habéis trabajado tan duro y en equipo para descubrir este tesoro que espero que no lo olvidéis nunca.

Eduardo y Emilio se miraron sonriendo. Finalmente habían comprendido que, en el corazón de una mamá, el amor hacia todos sus hijos es enorme ¡aunque parezca que es diferente!

¿Crees que Emilio y Eduardo podrían haber encontrado el tesoro sin ayudarse mutuamente?
¿Por qué?

Conseguir llamar la atención de los adultos de manera positiva

A Lila le duele la tripa

Lila es una pequeña nutria que vive con su mamá y su papá cerca de las grandes rocas del río. Su querida abuelita vivía cerca, al borde del bosque, y a Lila le gustaba pasar mucho tiempo con ella. Cuando Lila está enferma, es Abuela-nutria quien la cuida. ¡Hace las mejores sopas de pescado del mundo! Y, claro, cuando se está enfermo, una buena sopita de pescado con los mimos de la abuela es la mejor cura.

Cuando a Lila no le apetecía ir al cole, por la mañana le decía a su mamá que le dolía mucho la tripa, aunque no fuera verdad. Entonces Mamá-nutria le tocaba el vientre y Lila se esforzaba por poner muy mala cara y decir que le dolía mucho. Entonces su mamá la llevaba a casa de la Abuela-nutria y Lila sabía que pasaría un bonito día con muchos mimos y diversiones.

Lila tiene un problema... ¿Cómo podrías ayudarla?

Una mañana, cuando estaba estirada en la cama, oyó que su abuela y su madre comentaban que, como tenía pupa en la tripa tan a menudo, lo mejor sería llevarla al médico para que la curara definitivamente.

—¡Oh no! –pensó Lila–. ¡Un médico sabrá que no me duele nada y que no estoy enferma!

Lila reflexionó mucho aquel día. Si confesaba a su mamá que nunca había estado en realidad enferma, tenía miedo de no poder pasar más días bonitos con su abuela, ni de volver a comer la sopita de pescado. Pero si seguía diciendo que estaba enferma tan a menudo, la llevarían al médico y éste diría que había estado mintiendo todo el

> *¿Por qué crees que Lila está contenta con la solución de la Abuela-nutria?*

tiempo. ¿Qué pasaría si un día se ponía enferma de verdad? Entonces nadie la creería… ¡qué dilema! Lila no sabía qué hacer.

Pero Abuela-nutria, que había vivido muchos años y sabía mucho de la vida, adivinó el problema de Lila y le dijo:

—¿Sabes, Lila? No necesitas estar enferma para venir a casa conmigo y recibir muchos mimos y tomar sopa de pescado. Sólo tienes que decirme que quieres pasar tiempo conmigo y encontraremos el momento de pasar ratos juntas.

Lila suspiró de alivio. ¡Su abuelita comprendía lo que estaba sintiendo!

La Abuela-nutria añadió que tenía una poción mágica a base de hojas de nenúfar que haría que desapareciera para siempre el dolor de tripa imaginario.

—Cuando tomes un poquito, le diremos a mamá que ya estás curada –propuso la abuela guiñándole un ojo. Lila sonrió.

Lila aceptó tomar un poco de poción mágica a base de hojas de nenúfar. Ahora sabía que si quería estar más tiempo con su abuelita no tendría que decir mentiras ni faltar al cole. Sólo tendría que ir, nadando, hasta la casa de la abuela y pedirle un plato de sopa de pescado ¡con muchos mimos!

Cambiar de casa
Damián y su casa

Desde que nació, el delfín Damián vivía en un lugar magnífico del mar, con su papá, su mamá y su hermanita Clementina. Su habitación, justo al fondo de la gruta, era su lugar favorito. Su mamá había enganchado preciosas conchitas en la entrada y el sol, que pasaba a través del agua del mar, se reflejaba sobre las conchas volviéndolas de color rosa y dorado.

A Damián le encantaba meterse en su cuarto para leerle cuentos a su hermanita Clementina o para jugar con las anémonas que flotaban a su alrededor. También podía invitar a sus amigos; tenía muchos amigos y los conocía de siempre. ¡Damián no habría cambiado su vida por nada del mundo!

Y a ti, ¿qué es lo que más te gusta de tu habitación?

Un día su papá llegó a casa muy triste. Damián le preguntó qué pasaba y el papá le explicó que como había poca pesca en esa zona y no podía alimentar bien a Damián, a Clementina y a la mamá, había decidido que toda la familia se trasladaría de casa, a una zona muy alejada del mar.

¿Cómo crees que se siente Damián con la noticia que le acaba de dar su papá?

Damián se quedó mudo. Veía a su papá tan triste que no sabía qué decirle. Se abrazaron muy fuerte y Papá-delfín le dijo:

—Encontraremos una casa tan bonita como ésta, te lo prometo.

Damián se quedó solo en su habitación. Su pena era tan grande que le parecía que tenía una bola enorme en el estómago, pero no le salían lágrimas. Se sentía al mismo tiempo triste y enfadado: «Mi casa, mi habitación, mis amigos, mi escuela –suspiraba–, ¡no quiero dejar mi rinconcito en este mar!». Kiko, el caballito de mar, que pasaba en ese momento por delante de su ventana, vio al delfín tan triste que le dijo:

—¿Qué te pasa Damián?

—Tenemos que mudarnos, irnos a un lugar lejano. Estoy muy triste. Si tú supieras, Kiko… ¡No quiero dejar mi casa ni mis amigos ni mi mundo!

Kiko le respondió:

—Yo también tuve que mudarme de casa, ya lo sabes. Al principio me pareció muy difícil pero, ¿sabes lo que me ayudó? Me llevé conmigo pequeñas cosas de mi vida pasada, recuerdos que me hacían recordar lo que tanto me gustaba, y los miraba cuando me ponía triste.

Lo tranquilizó diciéndole que había hecho nuevos amigos rápidamente. –¿Te acuerdas, Damián? Tú fuiste el primero que vino a jugar conmigo a la hora del patio, cuando entré en la escuela. De eso me acordaré siempre. Fuiste mi primer nuevo amigo.

¿Has sido tú el primer nuevo amigo de alguien que se haya mudado de casa? Explica qué hiciste para ser amigos.

Damián sonrió. Era verdad que el caballito de mar Kiko se convirtió muy pronto en su amigo. Eso le dio un poco de esperanza. Miró su habitación y pensó qué podría llevarse con él como recuerdo… En ese momento, un rayo de sol entró en su cuarto y creó uno de esos maravillosos reflejos en rosa y oro sobre sus conchas, y Damián supo que se las llevaría con él a su nueva casa.

El día de la mudanza, Damián salió de su casa con sus conchas a la espalda. Eran tantas que le resultaban pesadas, pero su corazón sentía alivio al llevarse ese trocito del mundo que dejaba atrás. Sabía que cada vez que mirase sus conchitas en su nueva casa se sentiría mejor.

Kiko y los demás amigos le prepararon una fiesta sorpresa para su partida. Jugaron durante toda la tarde al escondite, de manera que Damián pudo recorrer, una vez más, cada rincón de su mar y almacenó muchísimos recuerdos en su mente. Cada uno de sus amigos le escribió una palabra especial en una libreta de recuerdos, llena de fotos de los buenos momentos que habían pasado juntos a través de los años. Damián se fue hacia su nuevo hogar con sus papás y su hermana Clementina, con muchos recuerdos dulces, sonrisas y el afecto de todos.

Vivir mejor la separación de los padres

Thalía y sus dos castillos

Thalía, la tortuguita de mar, vivía con su mamá y su papá en un castillo de conchas cerca del alto acantilado de la playa. Le encantaba mirar el cielo y el mar por la ventana de su dormitorio, sobre todo cuando el sol comenzaba a jugar con las olas antes de desaparecer con la llegada de la noche.

Esa noche, Thalía estaba en su ventana, pero su mirada estaba vacía y su corazón apenado. Sus papás le acababan de decir que a partir de ese día vivirían por separado y que ella tendría dos castillos: el de papá y el de mamá. El castillo de mamá sería el del acantilado, mientras que el de papá, muy diferente, estaría al otro lado de la playa. A la mañana siguiente, papá se iría a arreglar su nueva casa y cuando estuviera lista vendría a buscarla para que pasaran juntos unos cuantos días.

¿Qué sentimientos crees que tiene Thalía frente a esta noticia?

Sus papás le habían explicado que las cosas serían siempre así a partir de ese momento. Thalía tendría dos casas, dos familias. Una semana estaría con mamá y otra con papá. Pero a Thalía no le apetecía cambiar de casa cada semana y aún menos de dejar sola a su mamá. Además, la semana que estuviera con mamá en su castillo de siempre echaría de menos a papá, que siempre correteaba detrás de ella para hacerle cosquillas cuando volvía de pescar en el mar. En esos momentos, la pobre Thalía sólo quería hacerse una bolita y permanecer dentro de su caparazón.

Algunos días más tarde, salió de casa con su bolsa, dominada por la pena y mandándole besos a su mamá con la mano. Iba a descubrir el nuevo castillo de papá. Éste le enseñó su nuevo cuarto y le dijo que podía decorarlo a su gusto. A Thalía le parecía una habitación bonita, pero nunca tanto como la de su otra casa; la tortuguita no conseguía sentirse cómoda, no podía sentirse «como en casa». Cuando abrió su bolsa para prepararse para dormir, descubrió que su mamá le había metido su mantita preferida, una nota con la palabra amor y una fotografía de ella. Eso le recordó los buenos momentos en casa de mamá. Pero, al mismo tiempo, se ponía aún más triste. Añoraba a su madre y también estar con papá y mamá, los tres juntos.

En el momento de irse a dormir, su papá fue a buscarla y le dijo:

—Sé que esto resulta raro y complicado para ti,

¿Qué le dirías a Thalía para consolarla?

¿Tienes tú alguna cosa que te recuerde a papá o a mamá cuando no están cerca de ti?

Thalía. Mamá y yo hemos pensado en una cosa para que siempre te sientas acompañada por nosotros, aunque ya no vivamos juntos. Entonces papá se tumbó en la cama con Thalía y le señaló el cielo con un dedo.

—Justo delante de ti, todas las noches verás esa enorme estrella brillando. Tanto si estás en casa de papá como si estás en casa de mamá, siempre podrás verla desde tu cuarto. Los días que estés conmigo, mamá mirará la estrella al mismo tiempo que tú. Lo mismo pasará conmigo cuando estés con mamá. Cuando abras los ojos y veas la estrella, sabrás que papá también la está mirando y que pienso en ti.

Thalía sintió que la alegría volvía a su corazón y le dio un gran abrazo a su papá. Una cosa así era lo que realmente necesitaba. Esa noche tardó en dormirse porque no quería quitarle ojo a la magnífica estrella brillante. Thalía tenía ahora un tesoro inestimable: poco importaba dónde vivieran papá y mamá porque siempre los tendría a los dos. Además, ahora Thalía tendría dos castillos con dos dormitorios diferentes.

Enfrentarse a la muerte
El abuelo de Coral ha muerto

Todos los sábados por la mañana, desde que era muy pequeña, la cabrita Coral y su papá iban a visitar al abuelo-chivo para dar un paseo por la montaña. Le encantaba brincar con ellos sobre las rocas escarpadas e ir a comer hierba fresca de los lugares más recónditos de la montaña.

Pero esa mañana, Coral tuvo que ir a la montaña sola con papá. El abuelo-chivo había muerto el día anterior. Cuando, por la mañana, su padre fue a despertarla para ir a dar el paseo de cada sábado, Coral se dio la vuelta en la cama y dijo llorando:

—No quiero ir de paseo si no es con el abuelo. ¡Ya nada volverá a ser como antes!

Papá-chivo la acarició dulcemente y le dijo:

—Al abuelo le gustaría que siguiéramos yendo juntos de paseo. A él le encantaba pasear contigo.

Coral se secó las lágrimas y siguió a su papá. Pasearon en silencio por las grandes rocas durante mucho tiempo. Coral tenía una pena muy grande. Todo lo que veía y oía le recordaba a su abuelo: el canto de los pájaros que tanto le gustaba, el olor a hierba fresca que comían juntos y el cielo con sus nubes llenas de formas divertidas que miraban durante tanto tiempo y sobre las que explicaban historias inventadas. Coral suspiró… Echaba muchísimo de menos a su abuelo-chivo.

¿Qué le dirías a Coral para que se sintiera mejor?

Papá le había dicho que al día siguiente toda la familia daría un úl-

timo adiós al abuelo. Lo enterrarían en el fondo del valle, cerca de las rocas de la montaña que tanto le gustaba. Coral no quería decirle adiós a su abuelo. Ella quería tenerlo cerca durante muchísimo tiempo.

Por la noche, antes de irse a la cama, mamá-cabra fue a ver a Coral.

—¿Por qué ha muerto el abuelo? –preguntó coral.

—El abuelo era muy mayor. Cuando nos hacemos muy viejos y nos ponemos muy enfermos, acabamos muriendo. Pero tú eres muy afortunada, Coral, porque has pasado momentos maravillosos con tu abuelo desde que naciste. Tienes muchos recuerdos de él, ¿verdad? Cuando recuerdes los buenos momentos cada día, será como si estuvieras con él y siempre lo llevarás en el corazón –dijo mamá-cabra.

Papá-chivo se reunió con ellas.

—Tengo una cosita para ti, querida Coral. Es un regalo del abuelo.

Se trataba de una cinta con una campanita que el abuelo llevaba colgada del cuello y que Coral oía cuando el abuelo se acercaba para ir de paseo. Papá-chivo se lo puso a Coral y ella se echó a llorar. Eran lágrimas de pena pero también de felicidad. Ahora, con ese collar,

¿Cómo sientes la presencia de tu abuelo o de tu abuela en el corazón?

tendría un precioso recuerdo de su abuelito, siempre con ella. Esa noche Coral se durmió agarrando la campanita.

A la mañana siguiente, Coral fue con sus padres al fondo del valle, al pie de las grandes rocas escarpadas, pero no para decir adiós a su abuelo, sino para encontrarse con él:

—Nos veremos en mis recuerdos, abuelito. Te prometo ir a brincar a tu montaña con papá, como hacíamos antes. Guardaré siempre tu campanita para no olvidarte nunca. Te quiero mucho.

¿Tienes recuerdos de tu abuelo o tu abuela? Explica tus recuerdos y por qué son importantes para ti.

Desafíos personales y relaciones con sus iguales

Aprender a bajar el ritmo
Penélope y el viento

Lo que más le gustaba a la plumita Penélope, por encima de todas las cosas, era el viento. El viento que la empujaba y le permitía hacer bonitas cabriolas y grandes descubrimientos. El viento que la deslizaba como una caricia sobre las suaves hojas de los árboles. El viento que la llevaba cada día más y más alto, por el aire, por el cielo azul y bajo el sol brillante.

Penélope adoraba tanto la sensación del viento en su pequeño cuerpo de pluma que le costaba mucho dejarse caer sobre la hierba fresca para recuperar el aliento. Después de todo, había tantas cosas que ver a lo largo de un día...

Un día se estaba divirtiendo más de lo habitual revoloteando por el cielo. Apenas se posaba sobre la hierba fresca, cuando el viento volvía a levantarla y se la llevaba lejos. Penélope daba tantas vueltas en el aire que no vio hacia dónde se dirigía. De repente, se vio envuelta por un matorral de hojas sombrías, tan espeso que el viento no podía arrancarla de allí. ¡Penélope casi no podía moverse!

¿Por qué crees que Penélope se siente tan desgraciada en el matorral?

Ahora se sentía muy triste. Intentaba estirarse para que el viento la recogiera, pero de nada le servía. A pesar de sus esfuerzos, la plumita no se podía mover. Se enfadó mucho porque le parecía que no había nada interesante en ese feo matorral de hojas oscuras. Bajó la cabeza y se puso a llorar. ¡Estaba muy triste!

¿Qué solución le darías a Penélope para que no estuviera triste?

Justo en ese momento, vio una oruguita que pasaba por delante de ella, avanzando muy lentamente, tomándose su tiempo, sin prisas, con toda la calma del mundo y con cara de ser muy feliz. Penélope suspiró. Quería ser tan feliz como la oruga. ¿Pero cómo podía estar contenta con esa lentitud de movimientos?

La oruga vio que Penélope tenía aspecto triste y le preguntó qué le pasaba. Penélope le explicó que lo que ella quería era moverse sin parar, llevada por el viento, pero, allí en el matorral estaba atrapada y no podía volar, por eso se sentía desgraciada.

La oruga le enseñó que a la sombra del matorral se veían cómo los rayos del sol penetraban entre las hojas, que el silbido del viento era muy dulce allí y que, si nos fijamos bien cerca, se ven bichitos pasearse entre las hojas. Penélope sonrió. De repente se sintió feliz.

Se dio cuenta de que nunca había visto los rayos del sol penetrar entre las hojas de un matorral ni que jamás había oído el sonido del viento silbar entre las hojas, ni siquiera se había fijado en que el suelo estaba lleno de bichitos que paseaban. ¡Todo eso era nuevo para ella. Y era muy bonito!

Gracias a la oruga, Penélope, la plumita, aprendió a disfrutar de los rincones apacibles del bosque y a sentirse feliz sin necesidad de andar volando con el viento todo el santo día. ¡Qué alegría!

Controlar el mal genio
Nana ¿gris o blanca?

Nana, la nubecita blanca, adoraba su trocito de cielo azul. Lo encontraba un sitio tan bonito que le costaba irse para visitar a sus amigos y jugar con ellos. ¡Le daba miedo que alguien le quitara su sitio! Además, cuando alguna otra nube se acercaba para saludarla, Nana se hinchaba mucho y se volvía gris oscuro, de tanta ira que tenía.

Cuando pasaba eso, el cielo se tapaba y sus amigos se alejaban de ella, de manera que Nana se encontraba sola, grande y gris, en un cielo que ya no era azul sino oscuro y sombrío.

¿Qué crees que siente Nana cuando se encuentra sola en el cielo?

La nube Nana se hinchaba de ira y enfado con mucha rapidez. A menudo le costaba bastante tiempo que se le pasara el enfado para recuperar su color blanco y su forma esponjosa que tanto gustaba a sus amigos. Cuando era un nubarrón enorme y gris, nadie quería jugar con ella y todos huían…

Cuanto más tiempo permanecía gris, más tiempo pasaba sola. Eso la hacía entristecer. Añoraba a sus amigas y el color azul de su cielo. Pero no sabía qué hacer para que todo recuperara la normalidad, ser blanca y redondita.

Un día que estaba enojadísima, su mamá le dijo:

—Nana, estás muy enfadada. Tienes que aprender a explicar cómo te sientes ¡De ese modo estarás gris mucho menos tiempo!

Nana sabía que sería una buena idea pero no sabía cómo hacerlo. Esa noche, cuando se iba a dormir, el sol le mandó un precioso rayo de regalo, antes de esconderse detrás de la montaña para pasar la noche. Y Nana se durmió con un dulce calorcito en el corazón. Cuando despertó, decidió que aprendería a comunicar su enfado a sus amigos.

¿Tienes alguna idea que sugerirle a Nana?

Un poco más tarde, unas cuantas amigas fueron a buscarla pero, cuanto más se acercaban al trocito de cielo de Nana, más crecía ésta, más gris se ponía y más oscuro se volvía el cielo. Recordó entonces las palabras de su mamá y entonces agarró un rayo de sol para tener fuerzas. Se acercó a las otras nubes y dijo:

—¡Estoy muy enfadada! ¡Éste es mi trocito de cielo, sólo mío!

De repente, sintió que caían gotitas de su cuerpo. Cuantas más gotitas caían, menos gris estaba y menos crecía. Detrás de ella, apareció un rayito de sol. Y luego otros dos rayos hasta que al final salió el sol entero. Del cielo surgieron preciosos colores que formaban un

magnífico arco iris en su rincón. Sus amigas recibieron a Nana muy contentas y jugaron con ella un buen rato, porque Nana era blanca y esponjosa…

Ahora Nana sabía que con la ayuda de su querida mamá y de un rayito de sol podía expresar lo que sentía y conseguir que en su trocito de cielo aparecieran todos los colores del arco iris para compartirlos con sus amigos.

¿Escogió Nana la solución que tú le habías dado? ¿Qué otra cosa hubiera podido hacer para excusarse?

Superar el miedo

Hugo tiene miedo de todo

El erizo Hugo tenía miedo de todo. En cuanto oía el menor ruido en el bosque corría hacia el tronco en el que vivía con sus papás. Tenía algunos amigos, claro, pero eran tan pequeños que no le daban miedo y que no le podían defender en caso de necesidad. Por eso se sentía muy débil y vulnerable.

La ratita Lili era tan pequeñita no que no veía mucho más lejos de la punta de su nariz. La oruga Martina sólo podía arrastrarse y el pajarito Pompón apenas sabía volar. ¿Cómo iban a ayudarlo esos amiguitos? La única que sabía cuidar de sí misma era la tortuga Marta, que se metía dentro de su caparazón hasta que pasaba el peligro. Pero claro, en el caparazón de Marta no había espacio para dos, así que tampoco podía ayudarlo.

Hugo se sentía muy desgraciado porque lo que quería era poder ir a jugar un poco más lejos, en el bosque. Él quería ver mundo, como su tío Romero, que iba visitando países y regresaba a casa cada primavera para explicar sus aventuras. De momento, Hugo se conformaba con llegar solito a un claro del bosque donde el sol brilla los días de verano, donde silba el suave viento del otoño, pero le faltaba valor.

En ocasiones osaba ir un poquito más lejos, pero en cuanto oía un crujido que le parecía raro, se paraba en seco y corría de vuelta a casa para esconderse en las faldas de mamá. Sus amigos le decían que él era el más fuertote de todos pero a él no se lo parecía. ¡Tenía miedo de todo, todo y todo!

¿Cómo crees que se siente Hugo en estos momentos?

Un día, mientras jugaba en casa con sus amigos, se oyó al señor Cuervo anunciar una búsqueda del tesoro muy especial al día siguiente.

—¡Reuníos todos en el bosquecito del claro a las 9 de la mañana! –dijo el señor Cuervo.

Lili, Martina, Pompón y Marta saltaron de excitación y de alegría, pero a Hugo se le puso un nudo en el estómago. ¡Cómo le gustaría a participar en la búsqueda del tesoro del día siguiente! Pero con tanto miedo iba a ser imposible. No quería decírselo a sus amigos para no decepcionarlos y esa noche se fue a la cama haciendo de tripas corazón.

Papá-erizo percibió su miedo y le preguntó qué problema tenía. Entonces Hugo le contó la historia del señor Cuervo y sus ganas de participar en la fiesta. Su papá, al adivinar que su problema era el miedo, le dijo:

—Escucha un momento, tengo una cosa para ti. –Y se levantó de la mesa para ir a buscar una cajita en la que había una concha magnífica–. Éste es un recuerdo que el tío Romero me trajo de su primer viaje.

Estoy seguro de que si la llevas contigo te dará la valentía necesaria para afrontar tus miedos.

Hugo se durmió con la concha apretada contra su corazón. En sus sueños, su tío le confesó un secreto… Le contó que él dejó su miedo hacía mucho tiempo pero que recordaba perfectamente la primera vez que osó ir hasta un lugar un poco apartado de su casa. La enorme satisfacción que pudo sentir le empujó, para siempre, a ser un aventurero sin miedo.

A la mañana siguiente, Hugo se levantó con una sonrisa en la cara. Fue el primero en llegar al claro del bosque a las 9 de la mañana. Tenía un poco de miedo, sin duda, pero lo superaba porque llevaba la concha del tío Romero colgada al cuello para conseguir participar en la búsqueda del tesoro. ¡Fue un día memorable! Se aventuró por rincones desconocidos del bosque y se lo pasó bomba con sus amigos. Se lo pasó tan bien que hubiese participado en otra cacería al día siguiente.

Vencer la timidez

Felicia y las mariposas

La florecita Felicia vivía en un campo lleno de flores silvestres a las que acudían las mariposas en primavera y en verano. Para cualquier flor, la visita de una mariposa es el mejor cumplido que se le puede hacer.

Felicia nunca había visto una mariposa posarse en su flor. Como era muy tímida, cerraba sus pétalos y las mariposas no la veían. Cada vez que veía cómo se acercaba una mariposa, se sentía muy triste porque sabía que nunca sentiría sus alas rozando sus pétalos.

Un día, Felicia vio un pájaro que venía volando desde los países cálidos por el cielo primaveral. Escuchó a sus amigas comentar entre ellas su excitación.

Eso significaba que las mariposas estaban a punto de llegar. Felicia deseaba de corazón recibir la visita de una mariposa, pero sabía que ese año, como los anteriores, ninguna la visitaría y se puso triste.

Tal como estaba previsto, unos días más tarde empezaron a llegar las primeras mariposas revoloteando por los campos llenos de flores de colores. Y como ya sabía Felicia, ninguna de ellas se posó sobre ella. Envidiaba la suerte de sus amigas. Parecían tan felices cuando las mariposas les agitaban los pétalos con sus bonitas alas de colorines… ¡Ojalá tuviera una fórmula mágica para dejar de ser tan tímida! Podría exhibirse para que las mariposas la vieran y la visitaran como a todas las demás flores del campo.

Aquella noche, cuando el sol brillaba con mil colores diferentes para dar las buenas noches a las flores, una

¿Cómo crees que se siente Felicia con la excitación de sus amigas?

hormiguita que pasaba por allí se dio cuenta de la pena que sentía Felicia. Le preguntó por qué estaba tan triste. Felicia le explicó que su más ardiente deseo era llamar la atención de las mariposas para que se posaran en ella. Pero eso no había pasado nunca, ¡NUNCA!

La hormiguita le dijo:

—Te voy a contar un secreto. Yo, que me paseo todos los días por los campos, puedo decirte que tus colores son preciosos. El problema es que las mariposas no los pueden ver porque tus pétalos están siempre cerrados. Si quieres que te vean y te visiten, debes abrirlos bien, mirando hacia el cielo, para que vean que eres tan bonita como todas las demás flores –y añadió–: Si quieres, puedo venir aquí mañana, cuando salga el sol, para ayudarte.

¿Qué le propondrías a Felicia para que las mariposas la vieran?

Felicia aceptó su ayuda, entusiasmada. Sabía que sería muy difícil superar la timidez completamente sola, pero con la ayuda de su nueva amiga ¡seguro que lo conseguiría!

A la mañana siguiente, como había prometido, la hormiga fue a buscar a Felicia para despertarla y animarla. La florecita intentó abrir un pétalo mirando al cielo. Luego otro. Después, otro más… Cuando estuvo del todo abierta, una linda mariposa con las alas llenas de colores se posó sobre Felicia. La flor se puso tan contenta y orgullosa que abrió sus pétalos todo lo que pudo, mirando al sol. Ésa fue la más hermosa primavera que Felicia había vivido hasta ese momento. ¡Estaba tan alegre! «¡Nunca más –pensó– dejaré que mi timidez me impida ser feliz!».

Tolerar mejor la frustración
Lucas «ahora-mismo-corriendo»

Lucas era el único bebé de la familia León. Desde que nació, su papá, su mamá y sus abuelos habían estado pendientes de él hasta tal punto que Lucas creía que podía obtener todo lo que quisiera sólo con pedirlo. Llegó un momento en que Lucas lo quería todo de inmediato, ¡corriendo y sin esperar! De lo contrario... ¡se enfadaba muchísimo!

Sus padres, cansados ya de su actitud de pequeño tirano, intentaron hacerle comprender que debía valorar la atención y el amor que todos le ofrecían y ser igual con los demás. Pero Lucas no hacía caso, creía que el mundo entero estaba a su servicio y se había convertido en un leoncito muy desagradable con sus amigos. Cuando le proponían un juego nunca estaba de acuerdo e insistía en que todos hicieran lo que él quería. Mientras jugaban, quería ser el que mandaba, tenía que ganar a todo y, si perdía, se enfadaba. Si sus amigos le advertían que no podía tener la última palabra y que la opinión de los demás también contaba, rugía y dejaba de jugar con ellos.

Una mañana, mientras Lucas estaba en su casa, escuchó a sus amigos reír y pasar cerca de su puerta, en dirección a la Gran Caverna, donde iban a jugar. Pero nadie se paró para llamarlo. Nadie le invitó. Lucas se asomó a la ventana y sintió un nudo de tristeza en el pecho al ver que ninguno de sus amigos lo invitaba y se iban hacia la Gran Caverna

¿Cómo crees que reaccionarán los amigos de Lucas ante su actitud?

¿Puedes sugerirle a Lucas alguna idea para que recupere a sus amigos?

sin hacerle caso. Entonces se encerró en su habitación y se puso a llorar amargamente.

Su papá, que le había escuchado llorar, fue a preguntarle qué le pasaba. —¡Se han olvidado de mí! Mis amigos ya no me quieren! —dijo Lucas entre sollozos.

Papá-león, que sabía muy bien que su hijo se comportaba como un pequeño rey tirano, le explicó a Lucas que debía reflexionar sobre los motivos de sus amigos y luego debía encontrar una solución para que éstos quisieran volver a jugar con él.

A Lucas no se le ocurría ninguna forma de recuperar a sus amigos. Se paseó por la sabana, solo, pensando, hasta que a lo lejos vio al elefante Elías.

—¡Sí! ¡Elías es sabio y sabrá cómo ayudarme!

Entonces se dirigió hacia el gran charco donde Elías se estaba refrescando. Le confió su pena por no tener ya la amistad de sus compañeros.

El sabio elefante dijo:

—Hum… Te comprendo, has querido mandar siempre y decidirlo todo. Ésa no es una actitud agradable, ¿no te parece?

Lucas le contestó que era el hijo del rey león y que por eso creía que tenía que decidirlo todo. Pero el elefante Elías lo cortó:

—Si papá, que es el rey, respeta a todo el mundo es porque se respeta a sí mismo y porque reconoce sus virtudes a todos los animales de la sabana. ¿Alguna vez has dicho a tus amigos cuánto los valoras y cuánto los aprecias? —preguntó Elías.

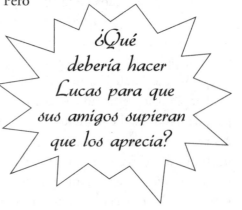
¿Qué debería hacer Lucas para que sus amigos supieran que los aprecia?

Entonces Lucas tuvo una idea. Organizar una súper fiesta para todos sus amigos para poderles decir a cada uno cuánto los quiere y los valora. Preparó palabras especiales para cada uno, escritas en cortezas de árbol…

—Para mi amigo Tino, el chimpancé, por su sonrisa y su capacidad para que todos nos divirtamos con tus payasadas. Para Noa, mi boa preferida, por su rapidez y flexibilidad. Para Titán, el tucán, por proponer siempre ideas geniales y nuevas aventuras.

Los amigos de Lucas se sintieron muy conmovidos por las palabras que les había dedicado y la fiesta acabó con muchas risas y abrazos. Después, los amigos quedaron para reunirse y jugar juntos al día siguiente. ¡Lucas había comprendido que para hacer amigos y conservarlos hay que darles tanto o más de lo que se recibe!

Desarrollar la confianza en uno mismo

Rino sigue su camino

En el bosque de los grandes arces, una bonita mañana de primavera nació un riachuelo y lo llamaron Rino. La nieve se fundía, los pajaritos cantaban y, a través de los árboles, Rino iba trazando su camino, separándose poco a poco del gran río que lo vio nacer. Se sentía muy pequeño, deslizándose tímidamente y al ritmo del viento y la nieve que se fundía.

Rino estaba contento de seguir su propio camino pero le costaba un poco separarse del gran río. Se estaba alejando por primera vez y se sentía tan pequeño en mitad del bosque… ¡Y los árboles son tan grandes! Además, cuanto más crecía, más agua llevaba y más velocidad tomaba, sin saber exactamente por dónde ir.

Poco a poco, veía que los árboles se espaciaban más y que el sol se metía entre las ramas y llegaba hasta el suelo. ¡Parecía que el bosque se estaba acabando!

—¿Qué habrá más allá del bosque? ¿Cómo seguiré avanzando por el nuevo paisaje?

Rino tenía muchas ganas de volver al bosque y al río grande. Lo intentó un momento pero vio que era imposible ir contracorriente.

De todas formas, reconocía que el paisaje era muy bonito, con sus hierbas acariciándole el agua y los arbolitos que le daban sombra. A Rino le gustaría tener suficiente confianza en sí mismo como para seguir viajando y disfrutando del paisaje. Pero seguía sin verse grande ni lo

¿Qué le propondrías a Rino para que se sintiera mejor?

91

bastante fuerte como para ir más rápido. Sin embargo, estaba orgulloso de haber estado haciendo su propio camino, aunque le faltara fuerza para avanzar.

De repente, Rino vio un pez grande nadando en sus aguas. El pez se presentó:

—Buenos días, me llamo Simón. ¿Tú quién eres?

Rino se presentó y le preguntó qué hacía un pez grande en un riachuelo tan pequeño. Simón le explicó que estaba nadando en el gran río cuando se vio arrastrado por la corriente y se encontró en las aguas del riachuelo. Pero como el pequeño Rino se había parado y había dejado de crecer, ahora Simón no podía nadar a gusto.

Simón le dijo a Rino:

—Te necesito, Rino. Te necesito para sobrevivir. ¡Necesito mucha más agua para poder nadar!

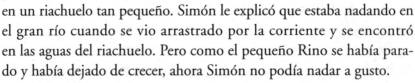

¿Qué le dirías a Rino para que se sintiese capaz de ayudar a su amigo Simón?

Le explicó que debía empujar con fuerza para avanzar más y más, para crecer y convertirse en un río grande. Rino le contestó que no se veía capaz de conseguir algo así.

Su nuevo amigo le dijo:

—Cuento contigo. ¡Necesito más agua!

Simón necesita a Rino. Eso significa que Simón lo considera lo bastante bueno y lo bastante fuerte como para ayudarlo. Eso le dio cierta confianza a Rino y así encontró la fuerza para seguir adelante.

Y así el riachuelo empujó con todas sus fuerzas hasta que empezó a fluir con vigor a través del magnífico paisaje y entre los árboles.

Cuando vio a Simón nadar y hacer piruetas en sus aguas, se dio cuenta de que había cumplido su misión. ¡Había salvado a su amigo! Rino comprendió que no es necesario ser muy grande ni muy fuerte para que la gente nos necesite.

—Lo prometo ¡nada podrá detenerme nunca en mi camino de riachuelo!

Respetar una rutina

Ludovico, el lobito impuntual

Ludovico era un lobito juguetón que siempre estaba de buen humor. A su mamá le encantaba estar con él y ambos se lo pasaban muy bien. Salvo por las mañanas… Porque Ludovico nunca estaba listo en el momento adecuado.

—Ludovico ¡es hora de levantarse! –decía mamá-loba por las mañanas.

Entonces Ludovico abría los ojos, pero como tenía tanto sueño, los volvía a cerrar y se dormía de nuevo. Así que su mamá tenía que ir a despertarlo hasta tres veces arrancándolo del sueño para conseguir que saliera de la cama.

—¡Ludovico! ¡Vístete! –tenía que gritar la mamá-loba.

Y mientras la mamá preparaba el desayuno, Ludovico rebuscaba en su caja de juguetes en lugar de ponerse la ropa. Mamá-loba tenía que repetir todo tres veces, como mínimo, antes de que el lobito le hiciera caso.

—Ludovico ¡ven a desayunar! –decía su mamá.

Pero Ludovico se tomaba su tiempo antes de decidirse a ir a la cocina porque siempre estaba concentrado con algún libro, con un juguete o con cualquier cosa que le pareciera interesante. Por eso Ludovico acababa engullendo su desayuno deprisa y corriendo todos los días para llegar a tiempo a la escuela.

¡Y vuelta a empezar TODAS las mañanas! Mamá-loba estaba desesperada. Y Lu-

¿Tú tampoco haces las cosas cuando te lo piden?

¿Puedes proponerle
alguna idea a Ludovico
para ayudarle
a ser puntual?

dovico pensaba que las mañanas con mamá eran cada día peor. Además, Ludovico llegaba cada día al cole con un bigote de leche porque nunca le daba tiempo a lavarse la cara y cepillarse los dientes. Sus compañeros se burlaban de él y Ludovico se ponía triste.

Esa noche, el lobito quiso hablar con su mamá. Mamá-loba estaba contenta al ver que su hijo quería poner sentido común a su vida y le dijo:

—Intenta encontrar una solución, Ludovico, para que las mañanas sean más agradables. Estoy segura de que la hallarás tú solo.

A la mañana siguiente, el sol salió y guiñó un ojo a Ludovico:

—¡Levántate Ludo! ¿Te imaginas qué pasaría en el mundo si yo no saliera por las mañanas? ¡Todo estaría patas arriba!

Ludovico le guiñó un ojo al sol, se levantó y fue corriendo a ver a su mamá para decirle que había encontrado una idea genial para solucionar sus problemas con la rutina diaria.

Por la tarde, al volver de la escuela, Ludovico planteó su genial idea en casa: colgaría una cartulina en la pared, donde pondría un sol guiñando el ojo cada mañana que consiguiera levantarse, vestirse, asearse y desayunar, para llegar pronto al cole, como debe ser. Mamá-loba le prometió que cuando tuviera cinco soles en la cartulina, tendría un momento especial como premio por haber aprovechado bien su tiempo cada día de la semana.

De este modo, Ludovico aprendió que cuando se cumple con las tareas a tiempo, siempre se sale ganando.

Defenderse de las burlas y la intimidación
Se burlan de María

En la escuela del Bosque de los Tres Tilos se burlaban de María, la pequeña mofeta. Se reían de su particular olor, claro, pero también de la piel extraña que cubría su cuerpo, con unas rayas blancas y otras negras. Muchos animales le ponían la zancadilla. María se levantaba sin decir nada… Pero lo peor no era el dolor de la caída, sino el de su corazón al verse despreciada. Sentía un nudo grande en su garganta y se tragaba las lágrimas para que nadie supiera hasta qué punto estaba triste.

¿Qué harías para consolar a María?

No todos los animales de la escuela eran malos con ella. Algunos no se burlaban, pero María no se atrevía a jugar con ellos. Pasaba sola la hora del patio y miraba a los demás mientras jugaban.

María habría dado cualquier cosa por tener una piel marrón y lisa como la de la nutria Luisa o para oler bien como el zorrito Rafael. ¡Ellos tenían muchos amigos! Los compañeros del cole le gritaban: «¡María pelos raros! ¡María la apestosa!». Debía ser por eso que no tenía amigos y todos se burlaban de ella.

Un día, a la hora del patio, cuando se dirigía al rincón donde solía estar sola, escuchó un ruido que provenía del bosquecillo florido que tenía delante. De allí salió una libélula.

—Buenos días –dijo–. Siempre te veo sola en este rincón. ¿Por qué no juegas con los otros niños?

María contestó que no tenía amigos, que nadie la quería porque su olor era raro y porque no les gustaba su piel a rayas.

—Pero María, cada animal tiene una piel distinta y un olor característico. ¿Acaso no sabes que tu olor te sirve para defenderte? Ese olor es esencial para tu protección, es fundamental para todas las mofetas –dijo la libélula.

—¿Ah sí? –preguntó María.

La pequeña libélula le contó que conocía muy bien a las mofetas y a todos los animales del bosque porque llevaba mucho tiempo volando por el Bosque de los Tres Tilos.

¿A ti te gustaría ser como algún compañero del cole? ¿Qué tiene de especial?

—Puedo decirte que todos los animales tienen sus puntos fuertes y sus puntos débiles. Esos a los que tanto admiras también tienen dificultades en la vida. Lo más importante es que creas en ti misma y demuestres a todos lo mucho que vales.

Por la noche, antes de dormir, María recordó las palabras de la libélula. Tenía que encontrar el modo de demostrarle al mundo de lo que era capaz.

Pronto, mucho antes de lo que se imaginó, tuvo la ocasión de hacerlo…

Una mañana, de camino al cole, se cruzó con un grupo de compañeros que se encontraban bloqueados en el bosque.

—No podemos pasar –dijo la nutria–. ¡Hay un gran panal de abejas que no nos deja pasar!

—¡Tenemos miedo! –gritó el zorro Rafael temblando.

Entonces, María hizo acopio de valor, se acercó al panal de abejas y les lanzó un par de chorros pestilentes y ardorosos, de manera que todas las abejas huyeron al instante.

Luisa y Rafael se acercaron a María corriendo.

—Gracias, María. ¡Tu chorro pestilente es genial! ¡Guau! Todas las abejas han huido. Vamos juntos al cole.

María, Luisa y Rafael fueron juntos a la escuela esa mañana. Y todas las mañanas a partir de entonces.

Así fue como María, poco a poco, se fue acercando a todos los demás animales y fue entablando amistad con todos ellos. Luisa y Rafael explicaron a todos la proeza de María, al alejar ella sola a todas las abejas del panal en el camino del cole del Bosque de los Tres Tilos. María se sentía orgullosa porque había conseguido hacerse un hueco entre los animales de la escuela, y todo gracias a haber demostrado cuáles eran sus capacidades.

¿Cuáles son tus puntos fuertes? ¿En qué eres especialmente bueno? ¿Tienes algo de especial?

Bibliografía

BÉDARD, Nicole, *L'interprétation des contes pour enfants*, Montreal, Éditions du Roseau, 2005.

BETTELHEIM, Bruno, *Psicoanálisis de los cuentos de hadas*, Barcelona, Crítica, 1995.

DUFOUR, Michel, *Allégo rit avec les jeunes*, Montreal, Éditions JCL, 2000.

DUFOUR, Michel; TREMBLAY, Dany,*Allégories: Amour de soi, amour de l'autre*, Montreal, Éditions JCL, 2006.

LAPORTE, Danielle, *Contes de la planète Espoir: à l'intention des enfants et des parents inquiets*, Montreal, Éditions Hôpital Sainte-Justine, 2002.

SALOMÉ, Jacques, *Contes à guérir, contes à grandir*, París, Éditions Albin Michel, 1993.

Índice

Los cuentos son un curso completo de formación para la vida. Ayudan al niño a crecer, son un juego, una terapia, un alimento para la inteligencia emocional. Pero, ¿cuáles contar y cómo? «Érase una vez…». Y hoy también lo es. Así como los cuentos perduran con el paso del tiempo, el placer del niño cuando los escucha también pervive. Los cuentos presentan siempre unos problemas (pruebas que hay que realizar, obstáculos que hay que superar) en los que el niño se reconoce, y unas soluciones que recibe con alegría. Problemas y soluciones que le «hablan» en el lenguaje más sencillo y más comprensible para él, el de la fantasía. Donde los Malos son verdaderamente malos y los Buenos verdaderamente buenos…, y sobre todo salen siempre victoriosos. Con ejemplos concretos extraídos del patrimonio de los clásicos este ágil manual explica a los padres por qué los cuentos, incluso los más «antiguos» son, todavía hoy, tremendamente actuales; indica qué cuentos se deben escoger y cuáles es mejor evitar; sugiere cómo crear un cuento para cada niño y cómo lograr que cree el suyo propio (utilizando también las nuevas ilustraciones a color de los personajes, incluidas al final del libro). Dos de los capítulos se dedican a los maestros y al uso de los cuentos como herramienta didáctica.